12.95

COLLÈGE
BEAUBOIS

4901, RUE DU COLLÈGE-BEAUBOIS
PIERREFONDS, QUÉ. H8Y 3T4

ÉLECTRICITÉ
& MAGNÉTISME

Projets et expériences avec des électrons et des aimants

Catalogage avant publication de Bibliothèque et Archives Canada

Parker, Steve

   Électricité et magnétisme

   (Collection Sciences)

   Traduction de : The science of electricity & magnetism.

   Comprend un index.

   Pour les jeunes de 8 à 14 ans.

   ISBN 2-89000-750-2

   1. Électricité - Expériences - Ouvrages pour la jeunesse. 2. Magnétisme - Expériences - Ouvrages pour la jeunesse. I. Titre. II. Collection: Parker, Steve. Collection Sciences.

QC527.2.P37714 2006   j537   C2006-940931-5

Pour l'aide à la réalisation de son programme éditorial, l'éditeur remercie :

Le gouvernement du Canada par l'entremise du programme d'aide au développement de l'industrie de l'édition (PADIÉ) ;

La société de développement des entreprises culturelles (SODEC) ;

L'association pour l'exportation du livre Canadien (AELC) ;

Le gouvernement du Québec - Programme de crédit d'impôt pour l'édition de livres - Gestion SODEC.

Titre original : Electricity & magnetism

Copyright © 2004 David West Children's Books

All rights reserved

Graphiste-illustrateur : David West

Rédacteur : Gail Bushnell

Iconographe : Gail Bushnell

Pour l'édition en langue française :

Copyright © Ottawa 2006

Broquet inc.

Dépôt légal — Bibliothèque nationale du Québec

3e trimestre 2006

Traduction : Aurélie Madiou

Révision : Marcel Broquet, R. Leymonerie

ISBN : 2-89000-750-2

Imprimé en Malaisie

RÉFÉRENCES PHOTOGRAPHIQUES :

Abréviations : « h » pour haut, « m » pour milieu, « b » pour bas, « d » pour droite, « g » pour gauche, « c » pour centre.

Couvert avant - hd, bg - Corbis Images.

Pages 3 & 6h, 4–5, 8h, 11b, 16, 16–17, 18 toutes, 20, 21bg & bd, 26–27, 27b, 28 toutes, 29h - Corbis Images.

6b (Nature Shell 0496), 9h (Pocket Watch 0876), 10h (Speaker System 007) : budgetstockphoto.com.

7d, 13 toutes - NASA.

12h, 15 toutes - National Oceanic & Atmospheric Administration (NOAA).

12–13 Castrol.

14, 17h, 19, 29bg - Rex Features Ltd.

20bd - Dover Books.

24h - Stock Images.

24–25 - Katz Pictures.

Avec un remerciement tout particulier aux modèles : Felix Blom, Tucker Bryant and Margaux Monfared.

Collection Sciences

ÉLECTRICITÉ & MAGNÉTISME

Projets et expériences avec des électrons et des aimants

STEVE PARKER

Broquet

97-B, Montée des Bouleaux, Saint-Constant, PQ, Canada J5A 1A9,
Tél.: (450) 638-3338 Télec.: (450) 638-4338 Internet: http://www.broquet.qc.ca
Courriel: info@broquet.qc.ca

TABLE DES MATIÈRES

Des microcircuits beaucoup trop petits pour être visibles...

... aux puissants moteurs électriques et aux aimants, en passant par...

...les objets de revêtement composés de métal dur et brillant, ainsi que les technologies jumelées de l'électricité et du magnétisme qui ont des conséquences sur notre vie quotidienne en permanence.

NTRODUCTION

Le monde devient de plus en plus énergique et électromagnétique. L'électricité nous permet de faire de nombreuses choses, comme par exemple téléphoner ou laver nos vêtements. Et partout où se trouve de l'électricité, il y a automatiquement du magnétisme. L'électricité est notre forme et notre source d'énergie préférée. Nous pouvons la fabriquer, la transférer facilement d'un endroit à un autre ou bien nous pouvons l'utiliser pour faire circuler des informations ; tout en sachant que nous pouvons également la reconvertir en d'autres formes d'énergie. Tous ces processus dépendent de notre connaissance des sciences de l'électricité et du magnétisme.

COMMENT ÇA FONCTIONNE

Ces encadrés t'expliquent les idées scientifiques sur lesquelles chaque projet est basé, ainsi que les divers procédés pour un bon déroulement de l'expérience.

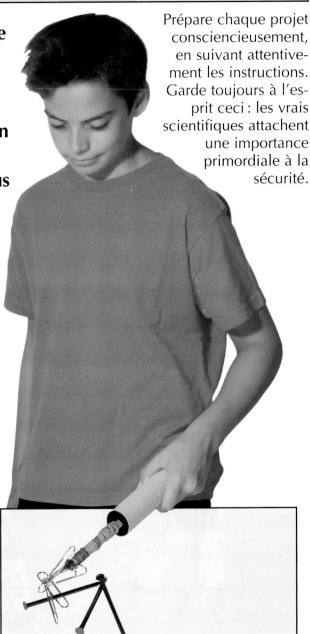

Prépare chaque projet consciencieusement, en suivant attentivement les instructions. Garde toujours à l'esprit ceci : les vrais scientifiques attachent une importance primordiale à la sécurité.

AVERTISSEMENT

- Les adultes doivent surveiller les jeunes lors de chaque expérience.
- Tous les fils électriques doivent être isolés.
- Ne touche jamais à un conducteur lorsque le courant électrique s'y déplace.
- Ne connecte jamais les deux bornes d'une pile, ni les piles en série, directement ensemble.
- Ne fais aucune expérience avec une batterie de voiture.
- Ne réalise jamais d'expérience avec des douilles.

Chaque fois que tu vois ces symboles :

 Demande l'aide d'un adulte.

 Projet à réaliser à l'extérieur.

 Des outils coupants peuvent être nécessaires.

 Projet salissant : couvre la surface de travail.

Toutes les piles ont deux bornes, l'une positive (+), l'autre négative (–). Tu auras besoin d'une pile de 1,5 volts et d'une autre de 9 volts. N'importe quel type de pile de 9 volts conviendra.

e de 1,5 volts   Pile de 9 volts

ESSAYE ET OBSERVE

Ce type d'encadrés te suggère des idées supplémentaires à mettre en pratique, afin de pouvoir réaliser facilement d'autres expériences et ainsi en découvrir encore un peu plus sur l'électricité et le magnétisme.

ÉLECTRICITÉ STATIQUE

La charge électrique statique, se trouvant sur un ballon que l'on tient entre ses doigts, attire des objets très légers qui ne conduisent pas très bien la charge électrique. Ces objets peuvent être des morceaux de papier de soie ou mousseline, des plumes, de la poussière et même des cheveux.

L'électricité est générée par le déplacement de particules minuscules appelées électrons. Ces derniers sont encore plus petits que les atomes qui composent toute matière et substance. En fait, les électrons se situent à l'intérieur des atomes où ils tournent très rapidement et de manière désordonnée. Les électrons portent une charge électrique. Au moment où ils quittent leurs atomes ou lorsqu'ils se déplacent d'un atome à un autre, ils produisent de l'électricité.

A l'intérieur de chaque atome, les électrons tournent autour de la partie centrale, appelée le noyau.

PROJET : FABRIQUE UN CONDENSATEUR (PORTEUR DE CHARGES)

PORTEUR DE CHARGES

AVERTISSEMENT ! Ne charge jamais le porteur plus d'une dizaine de fois. Sinon, tu pourrais recevoir une petite décharge !

IL TE FAUT

- **assiette et verre en polystyrène**
- **boîte en plastique emballant et protégeant les pellicules photo**
- **clou**
- **papier d'aluminium**
- **fil électrique**
- **plat en aluminium**

VERSE DE L'EAU DANS UNE BOÎTE EN PLASTIQUE DE PELLICULE PHOTO OU UN PETIT RÉCIPIENT SEMBLABLE EN PLASTIQUE. REMPLIS-LE AUX DEUX TIERS DE SA CAPACITÉ ET FIXE BIEN LE COUVERCLE.

SUR UNE BASE STABLE, TOUT EN FAISANT ATTENTION, TAPE DOUCEMENT SUR LE CLOU AVEC UN MARTEAU, AFIN QU'IL PERCE LE COUVERCLE. ASSURE-TOI QUE LE CLOU SOIT ASSEZ ENFONCÉ, CAR IL DOIT PÉNÉTRER DANS L'EAU.

COUPE UNE BANDE DE PAPIER D'ALUMINIUM ET PLACE-LA BIEN À PLAT AUTOUR DE LA MOITIÉ INFÉRIEURE DE LA BOÎTE.

COLLE LE BORD DU VERRE EN POLYSTYRÈNE SUR LE PLAT EN ALUMINIUM. VOICI LE PORTEUR DE CHARGE AMENANT LA CHARGE ÉLECTRIQUE À LA BOÎTE, QUI FAIT DÉSORMAIS OFFICE DE CONDENSATEUR.

STATIQUE À MOBILE

En frottant l'assiette sur le tapis, les atomes perdent certains de leurs électrons. Les électrons possèdent une charge négative, ainsi les atomes qui restent sont positifs. La charge positive est transférée au plat en aluminium, puis ensuite au clou et à l'eau. Les charges positives maintenant dans la boîte attirent les électrons, comme les charges négatives dans le plat en aluminium. Au moment où le fil relie les deux, les électrons se précipitant le long du fil, à partir du plat, puis passant par le clou, vont éliminer les charges et restaurer la balance.

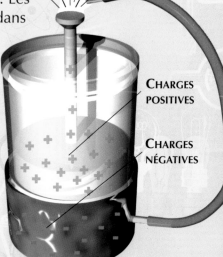

LES ÉLECTRONS PRODUISENT UNE ÉTINCELLE LORSQU'ILS SAUTENT

CHARGES POSITIVES

CHARGES NÉGATIVES

ATTRACTION MAGIQUE

Frotte des matériaux tels que du plastique, du nylon, de la laine et de l'acrylique. Observe comment les charges qui s'accumulent sur ces matériaux attirent des petits morceaux de papier de soie ou de mousseline.

ESSAYE DE CHARGER UN PEIGNE EN NYLON SEC, PUIS ESSAYE DE NOUVEAU AVEC UN PEIGNE MOUILLÉ. EST-CE QUE L'EAU LAISSE LA CHARGE S'ÉCHAPPER ?

5

6

7

FROTTE VIVEMENT L'ASSIETTE EN POLYSTYRÈNE PENDANT QUELQUES SECONDES SUR UN TAPIS OU UN TISSU COMPOSÉ DE LAINE OU DE NYLON. POUR UN MEILLEUR FONCTIONNEMENT DE CE PROJET, LES CONDITIONS DOIVENT ÊTRE LES PLUS SÈCHES POSSIBLE.

TIENS LE PORTEUR DE CHARGES PAR LE VERRE. METS EN CONTACT LE PLAT EN ALUMINIUM ET L'ASSIETTE EN POLYSTYRÈNE, DANS LE BUT DE TRANSFÉRER LA CHARGE ÉLECTRIQUE DE L'ASSIETTE AU PLAT.

METS EN CONTACT LE PLAT EN ALUMINIUM ET LE CLOU AFIN QUE LA CHARGE PUISSE ENTRER DANS LE CONDENSATEUR. RÉPÈTE LE PROCÉDÉ DE CHARGEMENT OU D'ÉLECTRISATION (ÉTAPES 5 ET 6) 10 FOIS DANS LE BUT D'AUGMENTER LA CHARGE DU CONDENSATEUR.

PAFFFF
ATTACHE LE FIL ÉLECTRIQUE À LA BASE DE LA BOÎTE EN PLASTIQUE. ASSURE-TOI DE NE PAS TOUCHER LE CLOU LORSQUE TU FAIS CECI. TIENS LE FIL ENTRE TES DOIGTS ET APPROCHE DOUCEMENT L'EXTRÉMITÉ DU FIL VERS LE CLOU. POUR FINIR, IL Y AURA UN PETIT BRUIT, DE TYPE CRAQUEMENT OU CRÉPITEMENT, PRODUIT PAR LE SAUT DES ÉLECTRONS. DE PLUS, SI TU ÉTEINS LA LUMIÈRE LORSQUE TU RÉALISES CETTE ULTIME ÉTAPE DU PROJET, TU DEVRAIS VOIR UNE ÉTINCELLE.

Quelle est la quantité de charge électrique ?

En 1752, Benjamin Franklin fit voler un cerf-volant lors d'un orage, dans le but de démontrer que les éclairs étaient causés par la charge électrique. La charge tomba sur le fil humide, courut le long de celui-ci, puis finit par faire jaillir une étincelle lorsqu'elle atteint la clé en laiton. Franklin eut énormément de chance. Il aurait facilement pu mourir électrocuté.

Il y a encore deux cents ans, la charge électrostatique était le seul type d'électricité que les scientifiques pouvaient utiliser. Elle était accumulée dans les condensateurs (appelés à l'époque « bouteilles de Leyde ») et elle faisait des craquements et des étincelles quand elle passait d'une substance à une autre. Au cours des expériences, il était important de mesurer la quantité de charge électrique. En fait, cela l'est toujours, puisque de nombreux appareils électriques contemporains utilisent des modèles modernes de condensateurs.

PROJET : FABRIQUE UN MESUREUR DE CHARGE (ÉLECTROSCOPE)

MESUREUR DE CHARGE

IL TE FAUT

- **pot en verre avec un couvercle en plastique**
- **fil métallique rigide et épais (ex. : un cintre)**
- **papier d'aluminium**
- **pâte à modeler**
- **ballon de baudruche**
- **marteau**
- **clou**
- **cisailles ou pinces coupantes**

1

RETIRE LE COUVERCLE DU POT EN VERRE. FAIS UN PETIT TROU AU CENTRE DU COUVERCLE, AVEC UN MARTEAU ET UN CLOU, JUSTE ASSEZ LARGE POUR QUE LE FIL MÉTALLIQUE ÉPAIS PUISSE LE TRAVERSER.

2

DÉCOUPE UN PETIT MORCEAU DE FIL MÉTALLIQUE RIGIDE ET ÉPAIS. PLIE UNE EXTRÉMITÉ DU FIL À ANGLE DROIT (90°) AFIN D'OBTENIR UNE FORME EN « L ». FAIS PASSER LE FIL À TRAVERS LE TROU DU COUVERCLE, PUIS FIXE-LE SOLIDEMENT SUR LE DESSUS DU COUVERCLE AVEC DE LA PÂTE À MODELER.

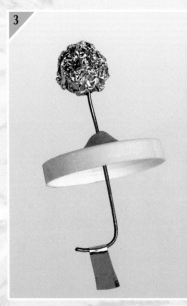

3

PLIE UNE BANDE DE PAPIER ALUMINIUM ET PLACE-LA SUR L'EXTRÉMITÉ INFÉRIEURE DU FIL, DE MANIÈRE À CE QU'ELLE RESSEMBLE À UN « V » À L'ENVERS ET ASSEZ FIN. DE PLUS, FAIS UNE BOULE SERRÉE AVEC DE L'ALUMINIUM SUPPLÉMENTAIRE. PLACE CETTE BOULE EN ALUMINIUM SUR L'EXTRÉMITÉ SUPÉRIEURE DU FIL EN APPUYANT.

LE MONTAGE SYMÉTRIQUE

Des charges op-posées s'atti-rent entre elles. Tandis que des charges iden-tiques se repoussent. Les charges positives situées sur le ballon de baudruche attirent les charges négatives mon-tant par le fil jusqu'à la boule d'aluminium, tout en laissant les charges positives sur la bande d'aluminium. Les charges positives situées sur les côtés de la bande d'alu-minium se repous-sent entre elles et entraînent ainsi l'écartement des côtés de la bande d'aluminium.

CHARGES POSITIVES
(SUR LE BALLON DE
BAUDRUCHE)

CHARGES
NÉGATIVES
(SUR LA
BOULE EN
ALUMINIUM)

CHARGES
POSITIVES QUI
ÉCARTENT LES
CÔTÉS DE LA
BANDE D'ALU-
MINIUM

REPOUSSÉ

GONFLE UN BALLON DE BAUDRUCHE EN SOUFFLANT DEDANS, PUIS FROTTE-LE SUR UN MATÉRIAU DE LAINE OU DE NYLON, AFIN QUE LA CHARGE ÉLECTRIQUE OU STATIQUE S'ACCUMULE SUR SA SURFACE. APPROCHE LE BALLON DE BAUDRUCHE DE LA BOULE D'ALUMINIUM, ILS NE DOIVENT PAS SE TOUCHER ENTRE EUX. OBSERVE LA BANDE D'ALUMINIUM – SES CÔTÉS S'ÉCARTENT ENCORE UN PEU PLUS ! ÉCARTE LE BALLON DE BAUDRUCHE ET TU VERRAS LES CÔTÉS DE LA BANDE D'ALUMINIUM SE RAPPROCHER DE NOUVEAU.

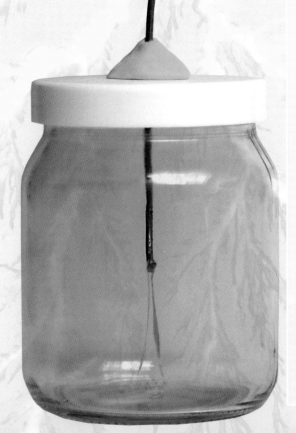

MESURE

Plus la charge est grande, plus l'écartement des côtés de la bande d'aluminium est important. Autrefois, la charge se mesurait de cette manière.

ESSAYE D'UTILISER LE CONDEN-SATEUR CHARGÉ RÉALISÉ À LA PAGE 6.

ESSAYE D'UTILISER LE CONDENSATEUR CHARGÉ RÉALISÉ À LA PAGE 6.

4

REMETS LE COUVERCLE SUR LE POT EN VERRE. LA BANDE D'ALUMINIUM SITUÉE À L'INTÉRIEUR DU POT DOIT PENDRE LIBREMENT, AVEC SEULEMENT UN ESPACE MINIMAL ENTRE LES DEUX CÔTÉS DE SA FORME EN « V ».

CIRCUITS ET COMMUTATEURS

En ce qui concerne l'électricité statique, les électrons sont immobiles. Tandis que pour l'électricité dynamique, à partir d'une pile par exemple, les électrons circulent sans interruption. Mais ils doivent avoir un chemin ou un circuit fait d'une substance appropriée pour y circuler. Les substances qui conduisent bien l'électricité, principalement les métaux, sont appelées des conducteurs électriques.

Dans un circuit complexe, l'électricité peut circuler le long de centaines de chemins différents.

PROJET : FABRIQUE UN CIRCUIT AVEC DES COMMUTATEURS À DEUX POSITIONS

CIRCUIT AVEC DES COMMUTATEURS À DEUX POSITIONS

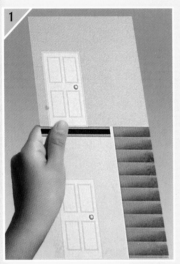

DESSINE SUR DU PAPIER L'ÉTAGE, L'ESCALIER ET LE REZ-DE-CHAUSSÉE D'UNE MAISON.

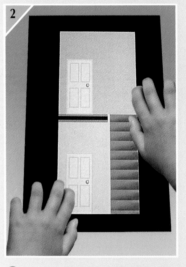

COLLE CES DESSINS SUR LE CARTON, EN LAISSANT UN ESPACE TOUT AUTOUR, AFIN DE POUVOIR Y PLACER LES CONDUCTEURS.

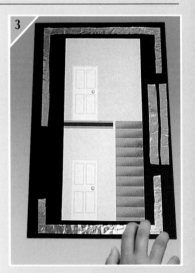

DÉCOUPE PLUSIEURS LONGUES BANDES DE PAPIER ALUMINIUM, QUI FERONT OFFICE DE CONDUCTEURS ET COLLE-LES SUR LE CARTON, TEL QU'INDIQUÉ CI-DESSUS.

DÉCOUPE UN CERCLE EN CARTON. GARDE UNE PATTE DE CÔTÉ, PUIS COLLE SUR UNE DES FACES DE CE CERCLE EN CARTON UN MORCEAU D'ALUMINIUM DE LA MÊME FORME, LE TOUT DEVIENT ALORS UN COMMUTATEUR. REFAIS-EN UN AUTRE ET FIXE-LES AVEC DES PUNAISES. LE CÔTÉ EN ALUMINIUM DOIT ÊTRE SUR LA FACE INFÉRIEURE.

COLLE LE SUPPORT D'AMPOULE SUR LA CARTE. METS EN PLACE LES PILES DE FAÇON À CE QUE LE PÔLE POSITIF (+) TOUCHE LE PÔLE NÉGATIF (-). FAIS PASSER UN FIL DE LA PILE INFÉRIEURE À LA BANDE INFÉRIEURE EN ALUMINIUM, PUIS UN AUTRE DE LA PILE SUPÉRIEURE AU CONTACT DE L'AMPOULE. ENFIN, LE DERNIER FIL PART DE L'AUTRE CONTACT DE L'AMPOULE JUSQU'À LA BANDE SUPÉRIEURE.

IL TE FAUT

- **morceau de carton rigide**
- **papier**
- **deux piles de 1,5 volts**
- **ampoule de 3 volts et son support**
- **papier d'aluminium**
- **fil électrique**
- **punaises**

ÉTAGE, REZ-DE-CHAUSSÉE

UN COMMUTATEUR COUPE LE CIRCUIT DES CONDUCTEURS EN LAISSANT PASSER DE L'AIR À TRAVERS ; OR L'AIR EST UN CONDUCTEUR TRÈS PAUVRE. UN COMMUTATEUR À POSITION UNIDIRECTIONNELLE EST SOIT ALLUMÉ, PERMETTANT À L'ÉLECTRICITÉ DE CIRCULER, SOIT ÉTEINT, COUPANT LA CIRCULATION. DANS NOTRE CIRCUIT AVEC DES COMMUTATEURS À DEUX POSITIONS, CHAQUE COMMUTATEUR CONTRÔLE LA CIRCULATION.

LA LUMIÈRE EST ALLUMÉE (EN DESSOUS À GAUCHE), CAR L'ÉLECTRICITÉ CIRCULE À TRAVERS LA BANDE D'ALUMINIUM SITUÉE À GAUCHE DU CARTON. SI TU DONNES UN PETIT COUP SUR LE COMMUTATEUR DU REZ-DE-CHAUSSÉE...

... LE CIRCUIT EST COUPÉ, CAR IL N'Y A PLUS DE RACCORDEMENT ENTRE LES DEUX BANDES D'ALUMINIUM. DONC, LA LUMIÈRE S'ÉTEINT (CI-DESSOUS). PAR LA SUITE...

... LORSQUE TU TE TROUVES À L'ÉTAGE, TU PEUX AVOIR ENVIE D'ALLUMER LA LUMIÈRE. EN DONNANT UN PETIT COUP SUR LE COMMUTATEUR SITUÉ À L'ÉTAGE, CELA REFORME LE CIRCUIT AU COMPLET PARCE QUE L'ÉLECTRICITÉ PEUT DÉSORMAIS CIRCULER À TRAVERS LA BANDE D'ALUMINIUM SITUÉE À DROITE DU CARTON (CI-DESSUS). AINSI, L'AMPOULE BRILLE DE NOUVEAU. CE PHÉNOMÈNE FONCTIONNERA HEURE APRÈS HEURE, APRÈS HEURE...

LA CIRCULATION DES CHARGES

Si l'on donne une assez bonne « poussée » à un électron, il quitte son atome et cherche un autre atome auquel il manque un électron. Une pile fournit la « poussée » suffisante pour que tous les électrons puissent faire ceci le long d'un fil métallique.

En conséquence, des milliards d'électrons font tous la même chose, sautant d'un atome au suivant, dans la même direction le long du fil. Cette circulation de charges ou d'électrons s'appelle un courant électrique.

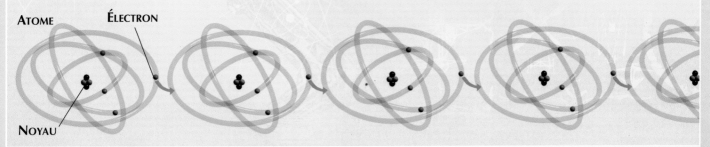

ATOME   ÉLECTRON

NOYAU

CIRCULATION OU PAS ?

Dans les câbles électriques à forte puissance, les isolants ressemblent à des disques empilés composés de céramique spéciale.

L'électricité ne circule pas hors des prises, des douilles et des appareils tels que les télévisions, parce que l'air, étant un mauvais conducteur, ne le permet pas. Les substances qui conduisent l'électricité sont des conducteurs, celles qui n'en conduisent pas sont appelées des isolants. Les fils électriques sont fabriqués dans le but d'être de bons conducteurs. L'air est un bon isolant. Et concernant les autres substances et matériaux quotidiens ?

PROJET : CONSTRUIS UN APPAREIL DE CONTRÔLE DE CONDUCTION

La majorité des métaux sont de bons conducteurs. L'un des meilleurs conducteurs est le cuivre, en photo ci-dessus, enroulé comme du fil autour de grandes bobines. Des millions de kilomètres sont utilisés pour les installations électriques dans les immeubles et pour les machines électriques.

APPAREIL DE CONTRÔLE DE CONDUCTION

IL TE FAUT

- fils électriques
- punaises
- ampoule de 3 volts et son support
- pile de 1,5 volts
- planche en polyéthylène
- ruban adhésif

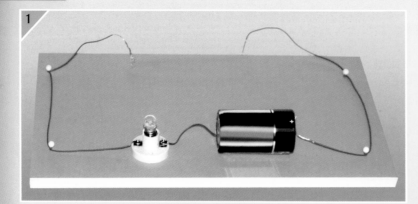

AVEC DU RUBAN ADHÉSIF, ATTACHE LA PILE ET LE SUPPORT CONTENANT L'AMPOULE SUR LA PLANCHE EN POLYÉTHYLÈNE. RELIE UN CONTACT DE L'AMPOULE À UNE EXTRÉMITÉ DE LA PILE AVEC DU FIL. RELIE MAINTENANT LES FILS PLUS LONGS À L'AUTRE EXTRÉMITÉ DE LA PILE, AINSI QU'À L'AUTRE CONTACT DE L'AMPOULE, PUIS FIXE LES FILS RESTANTS AVEC DES PUNAISES, TEL QUE MONTRÉ CI-DESSUS.

RASSEMBLE UNE GRANDE VARIÉTÉ D'OBJETS QUOTIDIENS COMPOSÉS DE DIFFÉRENTS MATÉRIAUX, DANS LE BUT DE LES UTILISER AU COURS D'AUTRES EXPÉRIENCES. SERONT-ILS DES CONDUCTEURS OU PAS ?

EN RELIANT LES BORDS D'UNE BRÈCHE

L'électricité circule uniquement lorsqu'il y a un chemin complet ou un circuit de conducteurs. Si un conducteur relie les bords d'une brèche entre les extrémités des fils, les électrons se déplacent et font briller l'ampoule. Les matériaux isolants empêchent ce déplacement.

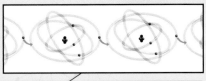

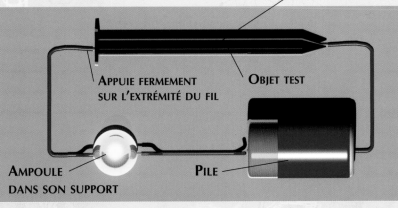

APPUIE FERMEMENT SUR L'EXTRÉMITÉ DU FIL

OBJET TEST

AMPOULE DANS SON SUPPORT

PILE

PLUS OU MOINS DE CIRCULATION ?

Place la « mine » d'un crayon, qui n'est autre que du graphite, c'est-à-dire la substance pour écrire, de manière à combler l'espace entre les deux fils. L'ampoule peut briller légèrement. Le graphite est un faible conducteur, donc il laisse circuler une certaine quantité d'électricité, mais pas la totalité.

ESSAYE AVEC DES CRAYONS DE DIFFÉRENTES LONGUEURS. Y A-T-IL UNE INTENSITÉ LUMINEUSE PLUS IMPORTANTE AVEC UN CRAYON PLUS PETIT ? ET AVEC LE BOIS DU CRAYON ?

BRILLERA, BRILLERA PAS

POUR TESTER LA CONDUCTIBILITÉ D'UN MATÉRIAU, PLACE L'OBJET ENTRE LES DEUX FILS LES PLUS LONGS. EN TENANT LES FILS PAR LEUR RECOUVREMENT DE PLASTIQUE, PRESSEZ LEUR PARTIE MÉTALLIQUE À CHAQUE EXTRÉMITÉ DE L'OBJET. S'ASSURER D'UNE BONNE CONNECTION. SI L'AMPOULE S'ALLUME, LE MATÉRIAU EST UN CONDUCTEUR SINON C'EST UN ISOLANT.

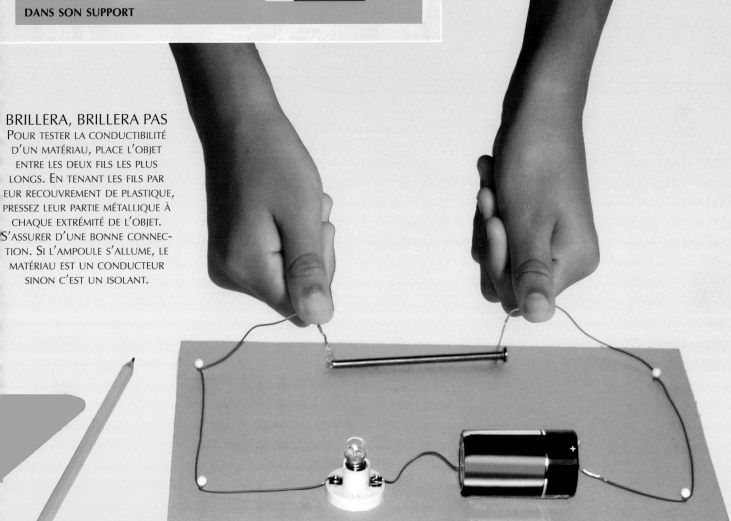

RÉSISTANCE À LA CIRCULATION

Les bons isolants retiennent ou résistent à la circulation de l'électricité. Ils possèdent une très haute résistance. Les bons conducteurs possèdent une très faible résistance et laissent donc l'électricité circuler. Dans certains circuits et machines, il faut modifier la quantité de résistance électrique.

Un variateur modifie l'intensité lumineuse d'une ampoule, de la lumière maximale à presque rien.

PROJET : FABRIQUE UN VARIATEUR

1

ENROULE UN MORCEAU DE FIL PLASTIFIÉ AUTOUR DU GRAND ROULEAU EN CARTON DE MANIÈRE SOIGNÉE. CHAQUE NOUVEAU RANG DE FIL DOIT BIEN ÊTRE CÔTE À CÔTE AVEC LE PRÉCÉDENT. PLACE LES EXTRÉMITÉS DÉNUDÉES DES FILS À L'INTÉRIEUR DE CHAQUE BOUT DU ROULEAU.

2

ENROULE DU PAPIER ABRASIF AUTOUR DU BLOC DE BOIS. PUIS UTILISE-LE POUR FROTTER LA PLASTIFICATION DU FIL EN FAISANT UNE LONGUE BANDE, AFIN DE LAISSER À DÉCOUVERT LE FIL MÉTALLIQUE DÉNUDÉ.

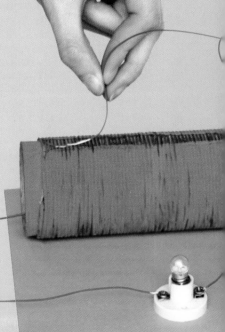

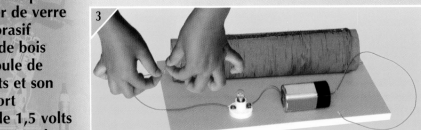

3

ATTACHE LA PILE, LE SUPPORT CONTENANT L'AMPOULE, AINSI QUE TROIS MORCEAUX DE FIL SUR LA PLANCHE EN POLYÉTHYLÈNE QUI TE SERT DE BASE, COMME MONTRÉ POUR L'APPAREIL DE CONTRÔLE DE CONDUCTION À LA PAGE PRÉCÉDENTE. RELIE UN DES LONGS FILS AU FIL QUI SE TROUVE DU MÊME CÔTÉ AU BOUT DU ROULEAU.

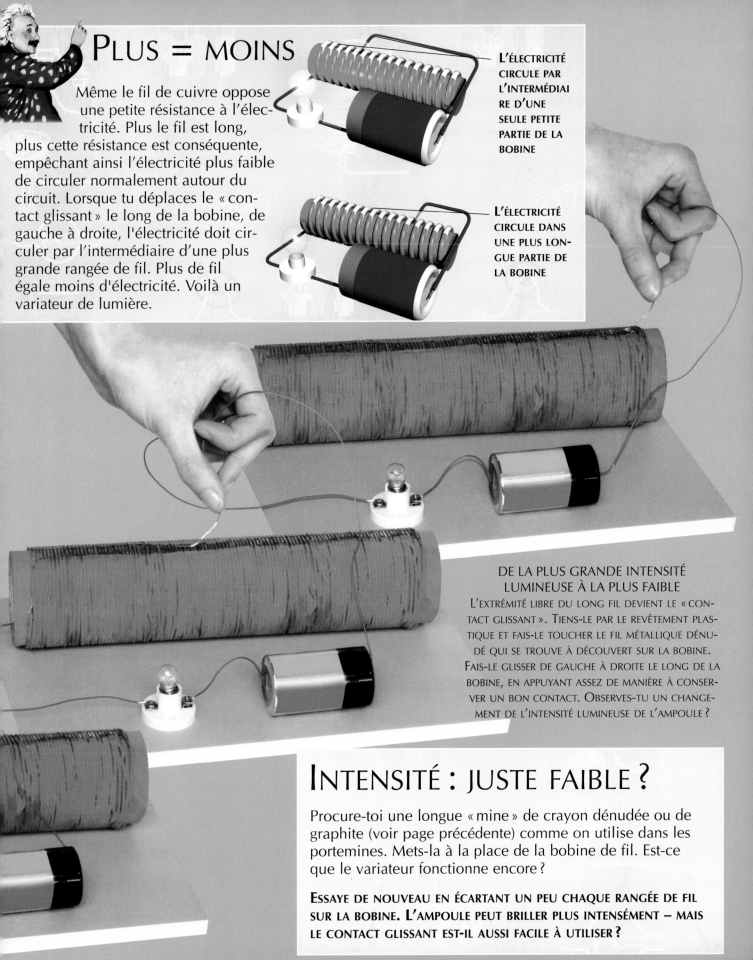

PLUS = MOINS

Même le fil de cuivre oppose une petite résistance à l'électricité. Plus le fil est long, plus cette résistance est conséquente, empêchant ainsi l'électricité plus faible de circuler normalement autour du circuit. Lorsque tu déplaces le « contact glissant » le long de la bobine, de gauche à droite, l'électricité doit circuler par l'intermédiaire d'une plus grande rangée de fil. Plus de fil égale moins d'électricité. Voilà un variateur de lumière.

L'ÉLECTRICITÉ CIRCULE PAR L'INTERMÉDIAIRE D'UNE SEULE PETITE PARTIE DE LA BOBINE

L'ÉLECTRICITÉ CIRCULE DANS UNE PLUS LONGUE PARTIE DE LA BOBINE

DE LA PLUS GRANDE INTENSITÉ LUMINEUSE À LA PLUS FAIBLE
L'EXTRÉMITÉ LIBRE DU LONG FIL DEVIENT LE « CONTACT GLISSANT ». TIENS-LE PAR LE REVÊTEMENT PLASTIQUE ET FAIS-LE TOUCHER LE FIL MÉTALLIQUE DÉNUDÉ QUI SE TROUVE À DÉCOUVERT SUR LA BOBINE. FAIS-LE GLISSER DE GAUCHE À DROITE LE LONG DE LA BOBINE, EN APPUYANT ASSEZ DE MANIÈRE À CONSERVER UN BON CONTACT. OBSERVES-TU UN CHANGEMENT DE L'INTENSITÉ LUMINEUSE DE L'AMPOULE ?

INTENSITÉ : JUSTE FAIBLE ?

Procure-toi une longue « mine » de crayon dénudée ou de graphite (voir page précédente) comme on utilise dans les portemines. Mets-la à la place de la bobine de fil. Est-ce que le variateur fonctionne encore ?

ESSAYE DE NOUVEAU EN ÉCARTANT UN PEU CHAQUE RANGÉE DE FIL SUR LA BOBINE. L'AMPOULE PEUT BRILLER PLUS INTENSÉMENT — MAIS LE CONTACT GLISSANT EST-IL AUSSI FACILE À UTILISER ?

AUGMENTATION OU PARTAGE ?

Un circuit simple est composé d'une pile et d'une ampoule reliées par des fils. Si l'on augmente le nombre de pièces ou de composants dans un circuit, cela augmente également les différents chemins possibles auxquels ils peuvent être reliés. Un chemin ou un circuit est constitué de composants en série ; ainsi l'électricité circule par leur intermédiaire en passant des uns aux autres. L'autre type de circuit est en parallèle (côte à côte), c'est-à-dire quand l'électricité y circule en même temps.

Les piles d'une lampe de poche sont disposées en série, l'une à la suite de l'autre. Si les deux piles sont de 1,5 volts, elles produisent alors 3 volts.

Dans un chargeur, les piles sont disposées en parallèle. Chaque pile reçoit la quantité maximale de charge électrique.

PROJET : CONTRÔLE LES PLANS DE CIRCUIT

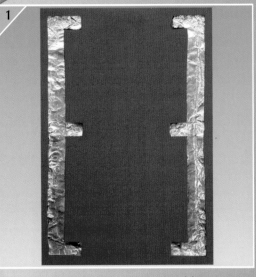

FABRIQUE UNE CARTE DE CIRCUIT IMPRIMÉ À PARTIR DE BANDES D'ALUMINIUM COLLÉES À UNE BASE. PRÉPARE DES MORCEAUX DE FIL ÉLECTRIQUE POUR RELIER LES PILES, AMPOULES ET BANDES D'ALUMINIUM ENSEMBLE, MAIS DE PLUSIEURS MANIÈRES DIFFÉRENTES.

PILES EN SÉRIE
METS DEUX PILES AU NIVEAU DE L'ESPACE SUPÉRIEUR VIDE, PLACE-LES DE MANIÈRE À CE QUE LA BORNE + D'UNE PILE TOUCHE LA BORNE – DE LA SECONDE PILE. ATTACHE, AVEC DU RUBAN ADHÉSIF, UN FIL ÉLECTRIQUE À CHAQUE CONTACT DE PILE RESTANT ET RELIE-LE AU PAPIER ALUMINIUM. RELIE L'AMPOULE QUE TU PLACES SUR LE CARTON AU NIVEAU DE L'ESPACE INFÉRIEUR VIDE.

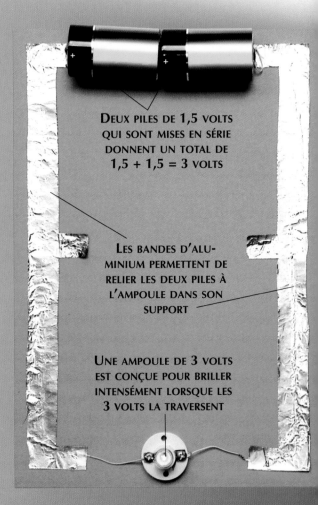

DEUX PILES DE 1,5 VOLTS QUI SONT MISES EN SÉRIE DONNENT UN TOTAL DE 1,5 + 1,5 = 3 VOLTS

LES BANDES D'ALUMINIUM PERMETTENT DE RELIER LES DEUX PILES À L'AMPOULE DANS SON SUPPORT

UNE AMPOULE DE 3 VOLTS EST CONÇUE POUR BRILLER INTENSÉMENT LORSQUE LES 3 VOLTS LA TRAVERSENT

CIRCUITS ET SOMMES

Pour deux piles connectées en série, leur force de poussée (ou tension) en volts doublent. Pour 2 piles connectées en parallèle, le voltage reste le même. Cependant, la quantité d'électricité, c'est-à-dire le courant électrique mesuré en ampères, est doublée. Si les ampoules sont connectées en série, la résistance de chacune, mesurée en ohms, s'additionne.

Si les piles sont connectées en parallèle, leur résistance totale étant « partagée », elle se retrouve donc inférieure. Les scientifiques utilisent une règle appelée la loi d'Ohm pour trouver le nombre de volts, d'ampères et d'ohms dans un circuit, selon la manière dont les composants sont connectés.

PLUS DE PLANS

Essaye d'autres expériences similaires à celles de la page de gauche, mais n'utilise qu'une seule pile. Cette fois, relie les ampoules en série, puis ensuite en parallèle, tel que démontré ci-dessus. Comment imagines-tu que les ampoules se comporteront ?

PILES EN PARALLÈLE

UTILISE LA MÊME CARTE DE CIRCUIT IMPRIMÉ. RELIE UNE PILE AU NIVEAU DE L'ESPACE SUPÉRIEUR VIDE ET L'AUTRE AU NIVEAU DE L'ESPACE VIDE DU MILIEU. LAISSE L'AMPOULE À SA PLACE, AU NIVEAU DE L'ESPACE INFÉRIEUR. L'AMPOULE BRILLE DÉSORMAIS MOINS INTENSÉMENT, MAIS SI ON LA LAISSAIT ALLUMÉE, ELLE BRILLERAIT PLUS LONGTEMPS QU'UNE AMPOULE AVEC DES PILES EN SÉRIE.

DEUX PILES DE 1,5 VOLTS QUI SONT MISES EN PARALLÈLE DONNENT UN TOTAL DE 1,5 VOLTS, MAIS CONTINUENT DE FAIRE BRILLER L'AMPOULE DEUX FOIS PLUS LONGTEMPS.

UNE AMPOULE DE 3 VOLTS BRILLE MOINS INTENSÉMENT LORSQUE SEULEMENT 1,5 VOLTS LA TRAVERSENT

UNE SEULE PILE FOURNIT UNE TENSION DE 1,5 VOLTS

DEUX AMPOULES EN SÉRIE AUGMENTENT LA RÉSISTANCE DU CIRCUIT ET NE BRILLENT DONC QUE FAIBLEMENT

UNE SEULE PILE FOURNIT UNE TENSION DE 1,5 VOLTS

DEUX AMPOULES EN PARALLÈLE DIMINUENT LA RÉSISTANCE DU CIRCUIT ET BRILLENT PLUS INTENSÉMENT

MAGNÉTISME MYSTÉRIEUX

Le magnétisme est une force mystérieuse. Nous ne pouvons pas la voir, mais nous pouvons sentir la force d'attraction ou de répulsion d'un aimant par rapport à d'autres objets, en particulier d'autres aimants. Tout aimant possède deux pôles opposés, à savoir le pôle Nord ou + et le pôle Sud ou -.

PROJET : FABRIQUE UN TRAIN À LÉVITATION MAGNÉTIQUE

TRAIN À LÉVITATION MAGNÉTIQUE

IL TE FAUT

- plusieurs petites barres aimantées
- carton épais ou planche en polyéthylène
- colle
- ciseaux
- tournevis

1 RASSEMBLE PLUS D'UNE DOUZAINE DE PETITES BARRES AIMANTÉES. TU PEUX TEMPORAIREMENT « EMPRUNTER » LES AIMANTS QUI SE TROUVENT SUR TON RÉFRIGÉRATEUR, COMME CEUX POUR TENIR LES PAPIERS OU LES LETTRES MAGNÉTIQUES, EN LES EXTRAYANT DÉLICATEMENT DE LEUR REVÊTEMENT PLASTIQUE AVEC UN TOURNEVIS.

2 COLLE LES AIMANTS SUR LA VOIE (FERRÉE), C'EST-À-DIRE SUR UNE LONGUE BANDE ÉTROITE EN CARTON. ASSURE-TOI QUE LE MÊME PÔLE DE CHAQUE AIMANT SOIT BIEN ORIENTÉ VERS LE HAUT (REGARDE L'ENCADRÉ DE LA PAGE SUIVANTE).

3 DÉCOUPE DEUX AUTRES LONGUES BANDES MINCES DANS DU CARTON. COLLE-LES SUR LES BORDS DE LA VOIE FERRÉE POUR LUI DONNER DES CÔTÉS LISSES.

4 DÉCOUPE POUR LE TRAIN, UNE BANDE EN CARTON, D'UNE LONGUEUR DE TROIS AIMANTS ET D'UNE LARGEUR DE 2 MM DE PLUS QUE LA VOIE FERRÉE. COLLE-LA SUR LES AIMANTS. ASSURE-TOI QUE TOUS LES MÊMES PÔLES SOIENT BIEN ORIENTÉS VERS LE BAS, MAIS ÉGALEMENT QUE CES PÔLES SOIENT LES MÊMES QUE CEUX QUI SONT ORIENTÉS VERS LE HAUT SUR LA VOIE FERRÉE. DÉCOUPE DEUX CÔTÉS EN CARTON POUR LE TRAIN.

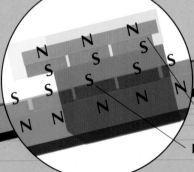

LES AIMANTS DU TRAIN

LES AIMANTS DE LA VOIE FERRÉE

Un train à lévitation magnétique (Maglev) fait appel soit à l'attraction, soit à la répulsion. Le train ne possède pas de roues. Les forces magnétiques le font « flotter ».

LOI DU MAGNÉTISME

Comme pour les charges électriques, les pôles magnétiques montrent des forces d'attraction ou de répulsion. La loi fondamentale met en évidence que les mêmes pôles, tels que Nord et Nord ou Sud et Sud, se repoussent. Tandis les pôles différents, comme Nord et Sud, s'attirent. La Loi se résume généralement par : « les pôles identiques se repoussent, les pôles opposés s'attirent. »

LES PÔLES OPPOSÉS S'ATTIRENT

LES PÔLES IDENTIQUES SE REPOUSSENT

5

COLLE LES CÔTÉS SUR LE TRAIN. VÉRIFIE QU'ILS S'AJUSTENT CORRECTEMENT SUR LA VOIE FERRÉE, LES CÔTÉS DEVRAIENT LUI PERMETTRE DE RESTER DROIT. LE TRAIN SE FIXE DIFFICILEMENT SUR LA VOIE FERRÉE, UNE DES DEUX SÉRIES D'AIMANTS EST MISE DANS LE MAUVAIS SENS !

6

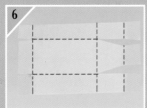

FABRIQUE UNE PARTIE SUPÉRIEURE POUR LE TRAIN, EN REPRODUISANT PUIS EN DÉCOUPANT LA FORME DE PAPIER TELLE QUE MONTRÉE CI-DESSUS. PLIE LE PAPIER LE LONG DES LIGNES EN POINTILLÉ ET COLLE LES RABATS DE SORTE QU'ILS SE CHEVAUCHENT.

7

UNE FOIS TERMINÉ, LE TRAIN DEVRAIT RESSEMBLER À CECI. FABRIQUE TROIS SUPPORTS EN CARTON DE DIFFÉRENTES TAILLES, DANS LE BUT DE SOUTENIR LA VOIE FERRÉE ET PLACE-LES AU DÉBUT, AU MILIEU ET À LA FIN DE LA VOIE.

GLISSEMENT SILENCIEUX
METS LE TRAIN AU NIVEAU DE L'EXTRÉMITÉ SUPÉRIEURE DE LA VOIE FERRÉE ET LAISSE-LE DESCENDRE. IL DOIT DESCENDRE EN GLISSANT SANS À-COUPS ET SANS BRUIT. LES PÔLES DE LA VOIE FERRÉE ET DES AIMANTS DU TRAIN SE REPOUSSENT ET FONT AINSI UN TRAIN À SUSTENTATION MAGNÉTIQUE.

DIFFÉRENTES FORMES

Tout aimant possède deux pôles, à savoir le pôle Nord et le pôle Sud.

POUR TROUVER LES PÔLES, TIENS ENSEMBLE UNE PAIRE D'AIMANTS ET CHERCHE L'ENDROIT OÙ TU RESSENS LES FORCES LES PLUS FORTES.

LE MONDE MAGNÉTIQUE

Le magnétisme a principalement des effets sur les substances contenant du fer. Le centre ou le noyau de la Terre est composé essentiellement de fer très chaud, ce qui transforme notre planète entière en un aimant géant. C'est pourquoi les noms de Pôles Nord et Sud s'appliquent à la fois aux aimants et à la Terre entière. Nous utilisons un aimant beaucoup plus petit pour détecter les forces magnétiques de la Terre, en utilisant la loi fondamentale du magnétisme de la page précédente.

Une boussole est essentielle, pour ne pas dire vitale, pour tout randonneur, marin, explorateur, pilote, ect. qui parcourent de longs trajets.

PROJET : FABRIQUE UNE BOUSSOLE

BOUSSOLE

IL TE FAUT

- papier
- aiguille à coudre en fer ou en acier
- aimant
- couvercle en plastique d'un bocal en verre
- film plastique adhésif transparent (utilisé pour couvrir les livres)
- ciseaux
- boîte de feutres couleur

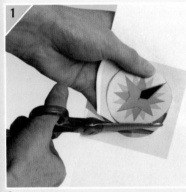

1 SUR UN MORCEAU DE PAPIER, TRACE UN CERCLE DE 2 CM DE MOINS QUE LE COUVERCLE DU BOCAL ET DÉCOUPE-LE. DESSINE UNE ROSE DES VENTS DESSUS, INCLUANT OBLIGATOIREMENT UNE FLÈCHE NOIRE ET COLORIE TON DESSIN.

2 DÉCOUPE UN GRAND CARRÉ DE FILM PLASTIQUE ADHÉSIF TRANSPARENT, D'UNE TAILLE SUPÉRIEURE AU CERCLE. COLLE-LE SUR LE CÔTÉ COLORÉ DU CERCLE EN PAPIER. ATTENTION ! LA SURFACE SOIT ÊTRE BIEN LISSE, SANS BULLE D'AIR.

3 FAIS LE TOUR DE L'AIGUILLE AVEC L'AIMANT, TOUJOURS DANS LE MÊME SENS, C'EST-À-DIRE EN CONSERVANT LE MÊME PÔLE, PLUS DE 300 FOIS. L'AIGUILLE DEVIENT ÉGALEMENT UN AIMANT.

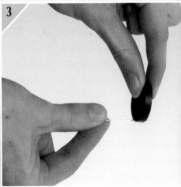

4 CHERCHE LES PÔLES NORD ET SUD DE L'AIGUILLE (P. 19). COLLE LA AVEC DU RUBAN ADHÉSIF SUR LE VERSO DU PAPIER, EN PLAÇANT SON NORD AU NIVEAU DE LA FLÈCHE NOIRE.

5 COLLE L'AUTRE CARRÉ DE FILM PLASTIQUE ADHÉSIF TRANSPARENT SUR LE CÔTÉ DU CERCLE OÙ SE TROUVE L'AIGUILLE, COMME UN SCEAU.

6 DÉCOUPE LÉGÈREMENT LE PLASTIQUE AUTOUR DU CERCLE, EN LAISSANT EN PLUS SUR LES CÔTÉS, UN BORD TRANSPARENT DE 5 MM TOUT AUTOUR.

CHAMPS MAGNÉTIQUES

Les forces d'un aimant sont comme les lignes entre les pôles et s'appellent les lignes de force du champ magnétique. Les lignes de force de la Terre sont orientées du pôle Nord au pôle Sud. Tiens la boussole à l'horizontal, les pôles de l'aiguille de la boussole sont attirés par les pôles de la Terre et se dirigent vers eux. Au niveau des pôles de la Terre, les lignes de force traversent la surface terrestre quasiment à angle droit (car elle est aplatie), mais au niveau du milieu de la Terre, elles sont parallèles au sol (car la Terre est ronde). Incline la boussole en direction du Nord et du Sud et l'aiguille montre cet angle, appelé « inclinaison magnétique ». La totalité de la zone de magnétisme forme le champ magnétique.

PÔLE NORD

TOUTES LES LIGNES DE LA FORCE MAGNÉTIQUE COMPOSENT LE CHAMP MAGNÉTIQUE

L'INCLINAISON DE LA BOUSSOLE ENTRAÎNE L'ALIGNEMENT DE L'AIGUILLE AVEC L'INCLINAISON MAGNÉTIQUE DES LIGNES DE LA FORCE MAGNÉTIQUE

PÔLE SUD

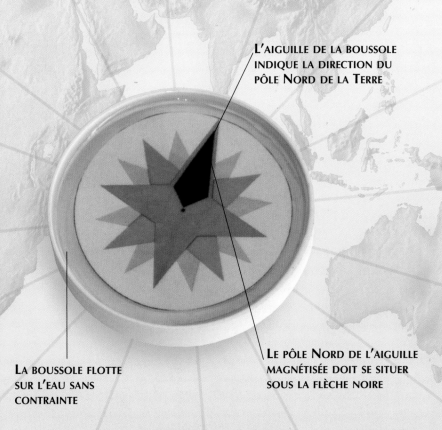

L'AIGUILLE DE LA BOUSSOLE INDIQUE LA DIRECTION DU PÔLE NORD DE LA TERRE

LA BOUSSOLE FLOTTE SUR L'EAU SANS CONTRAINTE

LE PÔLE NORD DE L'AIGUILLE MAGNÉTISÉE DOIT SE SITUER SOUS LA FLÈCHE NOIRE

OÙ EST LE NORD ?

VERSE UN PEU D'EAU DANS LE COUVERCLE DU BOCAL EN VERRE. METS TA BOUSSOLE SUR L'EAU ET REGARDE-LA BIEN. ELLE SE TOURNE AUTOMATIQUEMENT VERS LE NORD. SI TU SOUHAITES L'UTILISER À L'EXTÉRIEUR, IL FAUT QUE TU METTES LE BOCAL EN VERRE SUR LE COUVERCLE, AFIN D'EMPÊCHER LE VENT DE FAUSSER LA BOUSSOLE.

REGARDE BIEN !

Tu peux montrer les lignes de force d'un aimant, en plaçant l'aimant sous du papier fin. Répands de la limaille de fer sur le papier et tapote doucement. Qu'est-ce que tu vois ?

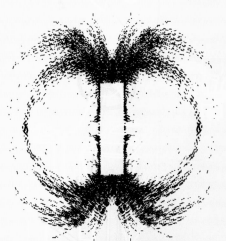

ESSAIE AVEC DIFFÉRENTES FORMES D'AIMANTS COMME BOUTONS, FER À CHEVAL (U) OU ANNEAUX, ECT.

LES AIMANTS ÉLECTRIQUES

L'électricité et le magnétisme sont inséparables. Ils se produisent presque toujours ensemble, en tant que l'une des forces fondamentales de l'univers, à savoir l'électromagnétisme. Au moment où l'électricité circule, elle crée un champ magnétique autour d'elle. Si l'électricité s'arrête, le champ s'arrête aussi. Le magnétisme des électroaimants dépend entièrement de la circulation du courant électrique.

Les électroaimants sont utilisés dans les dépôts ou parcs de ferraille et/ou les cimetières de voitures pour soulever plusieurs tonnes à la fois.

PROJET : FABRIQUE UN ÉLECTROAIMANT

ÉLECTROAIMANT

AVERTISSEMENT !
Les électroaimants peuvent devenir assez chauds si tu les laisses fonctionner trop longtemps. Si le cas se produit, ne touche pas le clou.

IL TE FAUT

- **rouleau en carton**
- **grand clou en fer**
- **fil électrique**
- **pile de 1,5 volts**
- **papier d'aluminium**
- **carton**
- **ruban adhésif**
- **ciseaux**
- **paille en plastique**

1 COUPE LES BORDS DE LA PAILLE EN PLASTIQUE, DE MANIÈRE À CE QUE TA PAILLE SOIT LÉGÈREMENT PLUS LONGUE QUE LE CLOU. INTRODUIS LE CLOU ET UN FIL ÉLECTRIQUE DANS LA PAILLE.

2 PUIS, ENROULE DU FIL ÉLECTRIQUE AUTOUR DE LA PAILLE JUSQU'À LA MOITIÉ, TOUT EN LAISSANT LES EXTRÉMITÉS LIBRES.

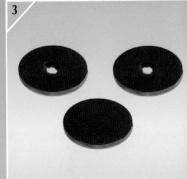

3 DÉCOUPE TROIS CERCLES EN CARTON QUI S'ADAPTENT PARFAITEMENT À TON ROULEAU EN CARTON. PERCE DEUX TROUS AVEC UN CRAYON, AU CENTRE DE DEUX DES CERCLES.

4 GLISSE LA PAILLE À TRAVERS LES DEUX TROUS DES CERCLES. ATTACHE AVEC DU RUBAN ADHÉSIF L'UNE DES EXTRÉMITÉS DU FIL ÉLECTRIQUE À UN MORCEAU D'ALUMINIUM. COLLE LES SUR LE CERCLE SITUÉ À L'EXTRÉMITÉ DE LA PAILLE.

5 FAIS GLISSER CET ASSEMBLAGE À L'INTÉRIEUR DU ROULEAU EN CARTON. LA PARTIE DE LA BOBINE DE FIL DOIT DÉPASSER À L'UNE DES EXTRÉMITÉS DU ROULEAU.

6 DANS LE ROULEAU ÉTABLIS UN CONTACT AVEC LA PILE ET L'ALUMINIUM. LE FIL RESTANT DOIT ÊTRE PLACÉ LE LONG DE LA PILE JUSQU'À SON EXTRÉMITÉ, PUIS À L'INTÉRIEUR DU ROULEAU.

Pose le cercle en carton restant sur l'extrémité du rouleau en appuyant légèrement, afin qu'il soit bien fixé au rouleau, mais aussi que le fil établisse le contact avec la pile. L'électricité circule et le clou devient un aimant. Essaye maintenant de ramasser avec ton électroaimant des petits objets en fer ou en acier, comme par exemple des trombones et des aiguilles à coudre.

ALIGNEMENT

Le fer se compose de minuscules zones magnétiques appelées des domaines. En règle générale, ces domaines prennent différentes directions, puis se neutralisent (1). La circulation de l'électricité permet l'alignement des domaines situés à proximité des uns des autres, si bien que leur pôle Nord indique tous la même direction (2). Ce phénomène transforme l'objet en fer en un électroaimant.

1

2

SUD

CIRCUIT DE L'ÉLECTRICITÉ

NORD

PLUS DE PUISSANCE

Teste la force de ton électroaimant en observant, par exemple, combien d'épingles il peut ramasser. As-tu une quelconque idée de la manière dont tu pourrais augmenter ou diminuer cette force ?

ESSAYE DE RAJOUTER PLUS DE FIL ÉLECTRIQUE AUTOUR DE LA BOBINE, PUIS TESTE À NOUVEAU LA FORCE DE TON ÉLECTROAIMANT. ESSAYE AUSSI AVEC MOINS DE FIL ET EN ÉCARTANT UN PEU CHAQUE RANGÉE DE FIL SUR LA BOBINE, PUIS ESSAYE AVEC UNE PILE DE PUISSANCE SUPÉRIEURE.

Le système de verrouillage central d'une voiture utilise un électroaimant à double action situé dans chaque porte pour actionner l'ouverture ou la fermeture centralisées.

L'ÉLECTROMAGNÉTISME

Les électroaimants peuvent être utilisés pour effectuer des déplacements. Un électroaimant caractéristique possède une bobine de fil électrique enroulée autour d'une tige en fer, qui est le noyau immobile. Un solénoïde est un électroaimant dont le noyau est mobile. Si le noyau ne se trouve pas entièrement dans la bobine lorsque l'électricité est allumée, il est attiré vers l'intérieur.

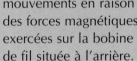

Un haut-parleur fait des mouvements en raison des forces magnétiques exercées sur la bobine de fil située à l'arrière.

PROJET : FABRIQUE UNE SERRURE À SOLÉNOÏDE

SERRURE À SOLÉNOÏDE

AVERTISSEMENT !

Les solénoïdes, étant similaires aux électroaimants, peuvent devenir assez chauds si tu les laisses fonctionner trop longtemps. Ne laisse pas l'électricité circuler plus de quelques secondes.

IL TE FAUT

- paille en plastique
- trombones
- fil électrique
- pile de 9 volts
- carton épais ou planche en polyéthylène
- colle
- ciseaux
- crayon
- ruban adhésif isolant

1

DÉCOUPE TROIS CARRÉS DE 25 MM DE CÔTÉ, DANS DU CARTON OU UNE PLANCHE EN POLYÉTHYLÈNE. PERCE UN TROU, AU CENTRE DE DEUX CARRÉS, EN UTILISANT UN CRAYON, D'UN DIAMÈTRE ÉQUIVALENT À CELUI D'UNE PAILLE EN PLASTIQUE.

2

COUPE UN MORCEAU DE PAILLE EN PLASTIQUE D'UNE LONGUEUR DE 15 MM. COLLE-LE VERTICALEMENT SUR LE TROISIÈME CARRÉ (NON PERCÉ).

3

DÉCOUPE UN CARRÉ, QUI TE SERVIRA DE BASE D'ENVIRON 12 CM DE CÔTÉ, AINSI QU'UN RECTANGLE, DE 8 CM DE LARGE PAR 15 CM DE LONG, QUI FERA OFFICE DE SUPPORT VERTICAL. DÉCOUPE UNE FENTE AU MILIEU DE LA BASE, D'UNE TAILLE CORRESPONDANTE À CELLE DU BORD INFÉRIEUR DU SUPPORT.

4

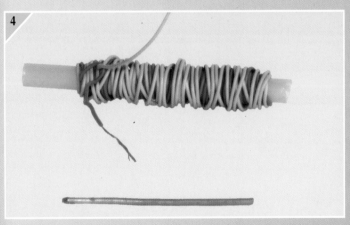

COUPE UN MORCEAU DE PAILLE EN PLASTIQUE 1 CM PLUS LONG QUE LE SOLÉNOÏDE. ENROULE LE FIL ÉLECTRIQUE PLUSIEURS FOIS AUTOUR DE LA PAILLE EN PLASTIQUE, EN LAISSANT DE LONGUES EXTRÉMITÉS LIBRES. REDRESSE UN TROMBONE POUR OBTENIR LA TIGE OU LE NOYAU INTERNE. INSÈRE LA PAILLE DANS LES TROUS DES CARRÉS SITUÉS EN HAUT ET AU MILIEU. LAISSE LE TROMBONE GLISSER ET DESCENDRE DANS LE MORCEAU DE PAILLE DU CARRÉ INFÉRIEUR. RELIE, AVEC DU RUBAN ADHÉSIF ISOLANT, DEUX TROMBONES AUX DEUX MORCEAUX DE FIL ÉLECTRIQUE QUI SONT ATTACHÉS AUX BORNES DE LA PILE.

ATTIRÉ VERS LE CENTRE

Lorsque l'électricité circule le long d'un fil électrique droit, le magnétisme qui entoure le fil demeure très faible. Dans une bobine de fil, le magnétisme entourant chaque rangée de fil s'ajoute les uns aux autres pour créer une force magnétique beaucoup plus importante. Le magnétisme d'un électroaimant est exactement le même que celui d'un aimant ordinaire ou permanent. Il attire les objets composés de fer qui sont situés à proximité. Le trombone se compose d'acier, lequel est constitué en grande majorité par du fer. Ainsi, le noyau est attiré avec force vers le centre du champ magnétique.

LA BOBINE DE SOLÉNOÏDE CRÉE UN CHAMP MAGNÉTIQUE LORSQUE L'ÉLECTRICITÉ CIRCULE.

RACCORDEMENTS ALLANT SUR UNE PILE

LE NOYAU DU SOLÉNOÏDE EST ATTIRÉ DANS LA BOBINE PAR LA FORCE MAGNÉTIQUE.

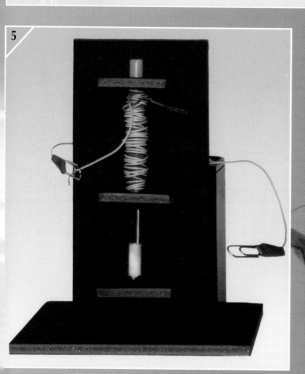

5

Colle le support verticalement dans la fente. Colle les trois carrés sur le support, commence par les deux carrés percés et termine par le carré avec le morceau de paille, le résultat doit ressembler à des étagères. La distance, entre le carré supérieur et celui du milieu, doit correspondre à la longueur du solénoïde.

FERMÉ...OUVERT... FERMÉ...

Lorsque tu relies les trombones aux fils électriques de la bobine, l'électricité circule et produit un champ magnétique. Ce phénomène attire le noyau vers le milieu de la bobine et « ouvre » la paille du carré inférieur. Lorsque l'électricité s'arrête, la force de gravité attire le noyau vers le bas et « referme » la paille.

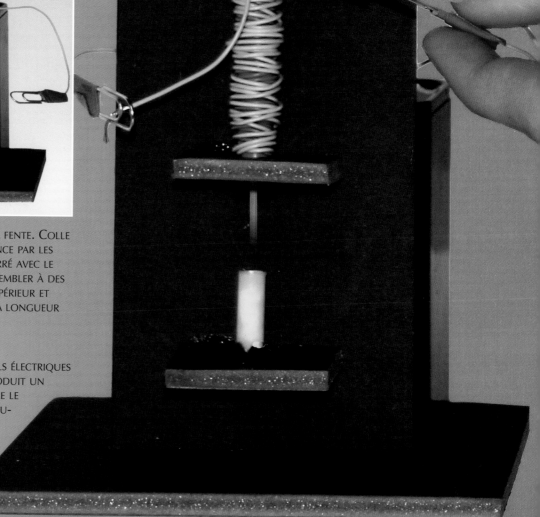

LA PUISSANCE MOTRICE

Les moteurs des trains électriques peuvent avoir la taille d'une voiture et déplacer des centaines de tonnes de wagons, voyageurs et chargements.

L'électricité et le magnétisme s'associent pour créer un mouvement gyroscopique ou rotatif dans un des appareils les plus utiles au monde : le moteur électrique. Certains moteurs sont plus petits que des têtes d'épingle. D'autres sont plus gros que des camions. Mais ils reposent tous, sur une précision à la seconde près, pour mettre en marche l'électricité (et le magnétisme).

La majorité des moteurs électriques disposent de plusieurs ensembles d'enroulements, afin de leur donner un mouvement giratoire puissant et régulier.

PROJET : FABRIQUE UN MOTEUR ÉLECTRIQUE

MOTEUR ÉLECTRIQUE

AVERTISSEMENT !

Le fil électrique doit être fin, mais rigide et posséder une enveloppe ou un revêtement à la fois mince et isolant. Sois particulièrement prudent à l'étape 4 de cette expérience, lorsque tu enlèveras une partie de ce revêtement.

IL TE FAUT

- mince fil électrique enrobé
- 2 grands trombones
- aimant disque
- pile de 9 volts
- carton épais ou planche en polyéthylène
- colle
- couteau
- ruban adhésif isolant

1

DÉCOUPE LE CARTON OU LA PLANCHE, AFIN D'OBTENIR UNE BASE DE TRAVAIL ET UN SUPPORT, CHACUN D'UNE TAILLE DE 20 CM DE LONG. COLLE VERTICALEMENT LE SUPPORT SUR LA BASE.

2

REDRESSE LES GRANDS TROMBONES ET COURBE-LES À L'UNE DES EXTRÉMITÉS AFIN D'OBTENIR UN CROCHET PROFOND.

3

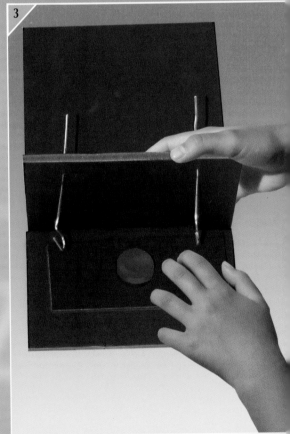

4

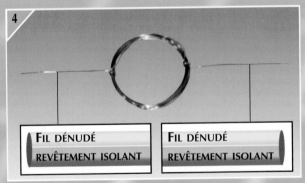

FIL DÉNUDÉ	FIL DÉNUDÉ
REVÊTEMENT ISOLANT	REVÊTEMENT ISOLANT

ENROULE LE FIL ÉLECTRIQUE POUR FAIRE UNE BOBINE CIRCULAIRE DE 6 CM DE DIAMÈTRE, EN LAISSANT DEUX LONGUES EXTRÉMITÉS DÉPASSER DE CHAQUE CÔTÉ. DÉNUDE LE FIL, EN ENLEVANT PRUDEMMENT LE REVÊTEMENT ISOLANT, SEULEMENT SUR LA PARTIE SUPÉRIEURE DE CHAQUE FIL ÉLECTRIQUE (VOIR L'ENCADRÉ DE LA PAGE SUIVANTE).

PERCE DEUX PETITS TROUS, À LA MÊME HAUTEUR, AU NIVEAU DE LA PARTIE SUPÉRIEURE DU PANNEAU DE SUPPORT CENTRAL. INTRODUIS-Y LES TROMBONES. PLACE UN AIMANT DISQUE OU UN AIMANT BOUTON SUR UN MORCEAU DE CARTON ÉPAIS. METS CET ENSEMBLE SUR LA BASE À MI-CHEMIN DES CROCHETS EN TROMBONE.

Mobile

L'électricité passant par la bobine de fil la transforme en un électroaimant. Son champ magnétique attire ou repousse le champ de l'aimant disque permanent, faisant bouger et tourner la bobine. Mais après un court intervalle, l'électricité s'arrête, car le revêtement isolant du fil touche désormais le trombone et l'électricité ne peut plus passer. Cependant, le mouvement gyroscopique ou rotatif de la bobine déplace le fil un peu plus loin, jusqu'à ce que le fil électrique dénudé touche le trombone et l'électricité circule de nouveau...

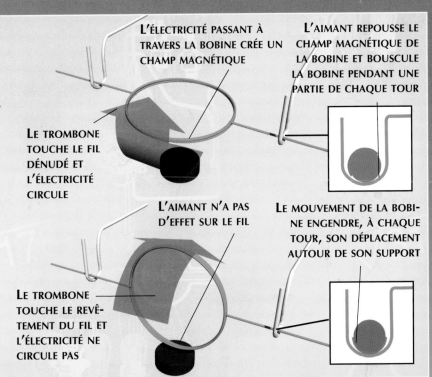

L'ÉLECTRICITÉ PASSANT À TRAVERS LA BOBINE CRÉE UN CHAMP MAGNÉTIQUE

L'AIMANT REPOUSSE LE CHAMP MAGNÉTIQUE DE LA BOBINE ET BOUSCULE LA BOBINE PENDANT UNE PARTIE DE CHAQUE TOUR

LE TROMBONE TOUCHE LE FIL DÉNUDÉ ET L'ÉLECTRICITÉ CIRCULE

L'AIMANT N'A PAS D'EFFET SUR LE FIL

LE MOUVEMENT DE LA BOBINE ENGENDRE, À CHAQUE TOUR, SON DÉPLACEMENT AUTOUR DE SON SUPPORT

LE TROMBONE TOUCHE LE REVÊTEMENT DU FIL ET L'ÉLECTRICITÉ NE CIRCULE PAS

5

SUSPENDS LA BOBINE DE FIL AU CENTRE, EN POSANT LES FILS DANS LES CROCHETS EN TROMBONE. ASSURE-TOI QUE LA BOBINE, LORS DE SON PIVOTEMENT, S'APPROCHE TRÈS PRÈS DE L'AIMANT, MAIS SANS LE TOUCHER. AJOUTE UN PEU PLUS DE COUCHES DE CARTON SOUS L'AIMANT, AFIN D'AJUSTER SA HAUTEUR, SI NÉCESSAIRE.

FABRIQUE DEUX CONNECTEURS AVEC DU FIL ÉLECTRIQUE ORDINAIRE, DES TROMBONES ET DU RUBAN ADHÉSIF ISOLANT, PUIS PLACE L'ENSEMBLE ENTRE LA BOBINE ET LA PILE.

6

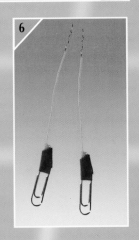

DANS UN MOUVEMENT DE ROTATION

RELIE LA PILE AUX GRANDS TROMBONES. POUSSE LA BOBINE DE FIL POUR L'ENCLENCHER. ELLE DEVRAIT TOURNER D'ELLE-MÊME. POUR DE MEILLEURS RÉSULTATS, TU DEVRAS PEUT-ÊTRE AJUSTER LA POSITION DE L'AIMANT ET REVÉRIFIER LA SUPPRESSION DU REVÊTEMENT ISOLANT DU FIL ÉLECTRIQUE.

L'ÉLECTROSCISSION

L'électricité circule très bien à travers l'eau. C'est la raison pour laquelle il est si important de ne jamais toucher d'appareil électrique avec des mains mouillées ou dans des conditions humides. L'électricité a aussi un effet sur l'eau elle-même. Elle peut faire se déplacer des substances dissoutes dans l'eau, avec quelquefois des résultats très utiles.

Les articles en argent massif sont très coûteux. Ainsi, on argente par galvanoplastie des métaux peu onéreux, ce qui les rend plus beaux et leur permet d'être vendus un peu plus cher, tout en restant à un coût plus avantageux que l'argent massif.

Les roues de voiture peuvent être galvanisées avec un métal dur et brillant, appelé le chrome. Ce chromage ne rouille pas et son éclat dure plus longtemps.

PROJET : GALVANISE UN CLOU AVEC DU CUIVRE

GALVANOPLASTIE

AVERTISSEMENT !
Réalise ce projet dans une zone bien aérée, car des émanations se dégagent.

IL TE FAUT

- fil électrique
- trombones
- grand clou
- pile de 9 volts
- vinaigre
- carton épais
- verre ou bocal en verre
- colle
- fil de cuivre dénudé
- ruban adhésif
- sel

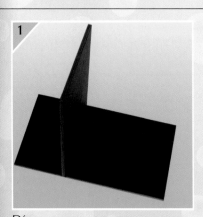

1 DÉCOUPE DANS LE CARTON, DEUX RECTANGLES DE 20 CM PAR 12 CM, AFIN DE FABRIQUER UNE BASE ET UN SUPPORT. COLLE LE SUPPORT SUR LA BASE.

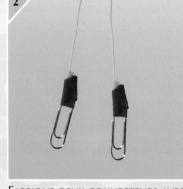

2 FABRIQUE DEUX CONNECTEURS AVEC DU FIL ÉLECTRIQUE, DES TROMBONES ET DU RUBAN ADHÉSIF, DANS LE BUT DE RELIER LA PILE AUX ÉLECTRODES.

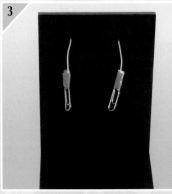

3 PERCE DEUX TROUS EN HAUT DU SUPPORT ET FAIS PASSER À TRAVERS LES CONNECTEURS DE FIL ÉLECTRIQUE.

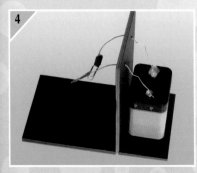

4 RELIE LES CONNECTEURS À LA PILE QUI SE SITUE DERRIÈRE LE SUPPORT.

5 ENFONCE LE CLOU ET LE MORCEAU DE FIL DE CUIVRE À TRAVERS UNE BANDE DE CARTON, ASSEZ LONGUE POUR REPOSER SUR LE VERRE OU LE BOCAL EN VERRE TEL QUE DÉMONTRÉ CI-CONTRE.

ÉLECTROLYSE

L'électricité circule à travers les liquides, tels que l'eau ou le vinaigre, entre deux contacts ou électrodes. Lorsque cela se produit, il peut y avoir des réactions chimiques. Ce phénomène s'appelle l'électrolyse. L'électricité qui se trouve dans le liquide fabrique des ions positifs au niveau de l'électrode de cuivre. Ceux-ci conduisent une charge électrique positive. Les ions positifs sont attirés par l'électrode négative, à savoir le clou.

LA BORNE POSITIVE DE LA PILE EST RELIÉE À L'ÉLECTRODE COMPOSÉE DU FIL DE CUIVRE

LES IONS POSITIFS DU FIL DE CUIVRE ADHÈRENT AUX IONS NÉGATIFS DU CLOU

LA BORNE NÉGATIVE DE LA PILE EST RELIÉE À L'ÉLECTRODE COMPOSÉE DU CLOU

VERSE LE VINAIGRE DANS LE VERRE OU LE BOCAL. AJOUTE UN PEU DE SEL. MÉLANGE BIEN LE TOUT. POSE LA BANDE DE CARTON INCLUANT LE CLOU ET LE FIL DE CUIVRE SUR LE DESSUS DU BOCAL. RELIE LA BORNE + DE LA PILE AU CUIVRE ET SA BORNE - AU CLOU.

UN CLOU EN CUIVRE ?

APRÈS UNE OU DEUX HEURES D'ATTENTE, DÉBRANCHE LA PILE ET SORS LE CLOU. IL DOIT ÊTRE RECOUVERT D'UNE COUCHE ROUGE DORÉE, À L'ENDROIT OÙ IL A ÉTÉ DANS LE VINAIGRE. TU VIENS DE RÉALISER UN CUIVRAGE PAR LE PROCÉDÉ DE L'ÉLECTROLYSE.

EXAMINE

Utiliser l'électricité pour recouvrir un objet avec une mince couche d'une autre substance, généralement du métal, s'appelle la galvanoplastie. C'est une manière conventionnelle de protéger certains matériaux tels que l'acier, qui ont tendance à ternir, se corroder ou rouiller.

L'HISTOIRE ÉLECTRIQUE

Il y a 2 600 ans, dans la Grèce antique, Thalès découvrit que frotter un morceau d'ambre lui permettait d'attirer des objets légers, tels que des plumes. Ce phénomène s'explique par la force d'attraction de la charge électrostatique (électricité statique). Toutefois, et ce, pendant des siècles, les pouvoirs d'attraction des charges électriques, ainsi que des champs magnétiques, furent énormément confondus.

En **1600,** le livre de William Gilbert laissait entendre que la Terre était un énorme aimant. De plus, il inventa le terme « électricité ».

En **1729**, Stephen Gray découvrit que l'électricité (en tant que charge statique) se trouvait sur l'extérieur d'un objet et non à l'intérieur. Il constata que les charges électriques étaient conduites ou transmises par certaines substances, mais pas par d'autres, en avançant ainsi et pour la première fois, l'idée de conducteurs et d'isolants.

En **1751**, Benjamin Franklin décrivit l'électricité comme un fluide invisible et montra qu'il pouvait transformer une aiguille en aimant. L'année suivante, il se livra à sa dangereuse expérience avec un cerf-volant, pour démontrer que l'éclair est une forme de décharge électrique.

En **1773**, Charles Dufay découvrit que deux morceaux frottés d'ambre se repoussaient entre eux. Il dit que l'électricité était composée de deux sortes de fluides, en fonction de la substance qui a été frottée.

En **1786**, Luigi Galvani remarqua que les jambes d'une grenouille décédée se convulsaient lorsqu'elles étaient mises en contact avec certains métaux. Ainsi, il eut l'idée que l'« électricité animale » était produite dans les choses vivantes.

En **1800**, Alessandro Volta fabriqua une série d'éléments électriques, la « pile voltaïque », que nous appelons désormais une pile.

En **1820**, Hans Christian Oersted prouva qu'un fil électrique conduisant l'électricité créait un champ magnétique autour de lui et avait un effet sur une boussole.

Dans les années **1820**, André-Marie Ampère fit énormément progresser les sciences de l'électricité et de l'électromagnétisme, tandis que William Sturgeon et Joseph Henry développèrent les électroaimants.

Dans les années **1830**, Michael Faraday conçut les premières formes de générateurs et de moteurs électriques. Les premiers télégraphes utilisaient l'électricité pour envoyer les messages longues distances.

En **1867**, James Clerk Maxwell démontra que l'électricité et le magnétisme faisaient partie intégrante de la même force, à savoir l'électromagnétisme et que les rayons lumineux étaient des ondulations de cette force.

En **1904**, John Ambrose Fleming inventa le tube à vide ou la première lampe, appelée aussi « valve de Fleming », et encouragea ainsi le début des sciences de l'électronique.

GLOSSAIRE

Ampères (A) : unité de mesure de l'intensité ou de la quantité de courant électrique, autrement dit le nombre d'électrons passant par seconde.

Atome : la plus petite particule d'une substance pure (élément chimique). Deux ou plusieurs atomes assemblés forment une molécule.

Champ magnétique : la zone située autour d'un aimant où s'exerce sa force magnétique, que l'on peut ressentir.

Charge : l'électron possède une charge électrique négative. Tandis que le reste de l'atome possède une charge électrique positive. La charge négative est indiquée par un signe moins (–), alors que la charge positive par un signe plus (+).

Condensateur : un appareil ou dispositif de stockage de charge électrique, appelé autrefois bouteilles de Leyde.

Conducteur : une substance ou un matériau qui conduit vraiment bien l'électricité.

Courant : la circulation de l'électricité par l'intermédiaire d'un circuit composé de deux ou plusieurs fils.

Électricité statique : les effets produits entre les charges électriques qui ne se déplacent pas.

Électroaimant : les forces magnétiques produites par la circulation de l'électricité à travers un conducteur (généralement une bobine de fil).

Électrons : les particules faisant partie intégrante des atomes, ils tourbillonnent autour de la partie centrale ou du noyau de l'atome.

Isolant : une substance ou un matériau qui résiste considérablement à la circulation de l'électricité.

Ohm : unité de mesure de l'opposition ou de la résistance d'une substance à la circulation de l'électricité.

Pôle : concernant le magnétisme, l'un des deux endroits d'un aimant où les forces magnétiques sont les plus fortes ou les plus concentrées.

Pile : un appareil qui permet la circulation de l'électricité, à partir d'actions chimiques internes. Une « pile » à part entière n'est autre qu'un élément électrique, tandis qu'une réelle « pile » est composée d'ensembles d'éléments électriques connectés les uns aux autres.

Volts : unité de mesure de la « force de poussée » de l'électricité, connue aussi sous le nom de différence de potentiel (ddp) ou force électromotrice (fem.).

INDEX

COLLÈGE
BEAUBOIS

4901, RUE DU COLLÈGE-BEAUBOIS
PIERREFONDS, QUÉ. H8Y 3T4